NA SPAILPÍNÍ

An chéad chló 1982

Dearadh: Pádraig de Barra

Arna chló ag
Foilseacháin Náisiúnta Teoranta
ina gclólann i
gCathair na Mart

NA SPAILPÍNÍ

le

C. N. Ó CEALLACHÁIN

FÍOR 1:   *An spailpín sa siúl, timpeall 1850*

NA LÉARÁIDÍ

Tá na foilsitheoirí fíorbhuíoch de chách a thug cead grianghraif leo a chló sa leabhar seo. I gcás gur theip orainn teagmháil le húinéir ar bith cóipchirt, beidh áthas orainn teacht chun réitigh leis. Seo a leanas foinsí na ngrianghraf:

Oifig na dTaifead Poiblí i dTuaisceart Éireann — 3, 43

Séamus Mallee, M.P.P.A.I. — 7a, 12, 19, 23, 26, 35, 39, 40

Leabharlann Láir Bhéal Feirste — 10

Leabharlann Náisiúnta na hÉireann — 11a, 18, 20, 21, 22, 37, 48, 55, 56

Iarsmalann Uladh — 11b, 45a

Tomás Ó Muircheartaigh — 14, 31, 38, 45b

Daoniarsmalann Uladh — 7b, 17b, 24, 25, 26, 33, 41

Caoimhín Ó Danachair — 44

Roinn an Imshaoil, Béal Feirste — 50a

Iarsmalann na hEolaíochta — 53

Cnuasach Wynne, Caisleán an Bharraigh — 54

Kenneth McNally — 60

The Word — 61

CLÁR

FÍOR 2:   *Thar sáile anonn le linn an Drochshaoil*

I

LUCHT FEIRME

FÍOR 3: *Lucht feirme i dtús na haoise seo.*

BUACHAILLEACHT BÓ

Feicfidh tú véarsa d'amhrán faoi Fhíor 4. Véarsa é a chasadh buachaillí bó Mheiriceá céad bliain ó shin. An uair sin ba mhinic tréada móra bó á seoladh trasna na tíre sin ag na buachaillí bó. I ndorchadas oíche bhíodh sé mar chúram orthu bheith ag marcaíocht go mall timpeall ar na tréada agus amhráin bheaga dá leithéid sin a chasadh dóibh chun iad a chiúnú agus a chur ar a suaimhneas.

Is dócha go bhfuil cuid d'eachtraí na mbuachaillí bó ar eolas agat féin, mar is minic iad le feiceáil ar na scannáin agus ar an teilifís. Ach an eol duit go mbíodh eachtraíocht de shaghas eile ar siúl in Éirinn an tráth céanna? Bhíodh saol corraitheach ag cuid de mhuintir na tíre seo chomh maith, agus iad ag dul ar thurais fhada ar lorg oibre ar na feirmeacha. Is ar chuid de na daoine sin, a dtugtaí "spailpíní"

FÍOR 4:   *I struck the trail in 'seventy-nine,*
The herd strung out behind me;
As I jogged along my mind ran back
To the Girl I left Behind Me.

9

orthu, a bheimid ag trácht sa leabhar seo.

An **seventy-nine** atá luaite san amhrán (**The Girl I Left Behind Me**), is í an bhliain 1879 í—breis bheag agus céad bliain ó shin. B'fhéidir go bhfuil leagan éigin den amhrán sin cloiste agat féin, nó b'fhéidir go bhféadfadh duine de do mhuintir é a chasadh duit.

Is ionann fonn an amhráin, go bunúsach, agus fonn an tsean-amhráin Ghaeilge **An Spailpín Fánach.** Fear fánach a bhí i gceist sa dá amhrán—fear uaigneach a bhí i bhfad óna mhuintir. Bhíodh an buachaill bó ag tabhairt aire do na tréada agus á seoladh ar an margadh i gcéin; cad a bhíodh á dhéanamh ag an spailpín ar fheirmeacha na hÉireann fadó?

LEIS AN LÁIMH AGUS LEIS AN gCOIS

Sa lá inniu, bíonn feirmeoirí na hÉireann ag brath go mór ar ola agus ar pheitreal. Is le tarracóirí agus le meaisíní eile a déantar an mhórchuid d'obair na feirme; tá meaisíní ann chun an talamh a bhriseadh agus a leasú, chun an síol a chur agus chun na barra a bhaint.

Dá dteipfeadh ar an tarracóir agus ar na meaisíní d'easpa ola, conas a shaothródh an feirmeoir an talamh? Anseo is ansiúd bheadh capall oibre a dhéanfadh cuid éigin d'obair an tarracóra, ach is gann iad na capaill oibre anois. Níorbh fholáir don fheirmeoir slua oibrithe a fhostú—

FÍOR 5: *Tá meaisíní ann chun an talamh a bhriseadh agus chun an síol a chur*

11

oibrithe a dhéanfadh an obair dó leis an láimh agus leis an gcois. Bheadh gá ar leith leo sa samhradh agus go háirithe san fhómhar, tráth a mbíonn breis oibre le déanamh.

Leis an láimh agus leis an gcois a dhéantaí an obair go léir, beagnach, fadó, agus bhíodh idir fhir, mhná agus pháistí ag gabháil di. Buachaillí óga nach mbíodh acu ach na deich mbliana, théidís ag obair an uair sin. Chaithidís sé mhí nó, uaireanta, bliain iomlán ar fheirm amháin agus iad i bhfeighil na mbó agus na gcaorach. D'oib-rídís ó mhoch na maidine go dtí titim na hoíche sa samhradh, agus sa gheimhreadh freisin, tráth ar mhinic oighear ar a lámha agus ar a gcosa. D'fhágtaí cúraimí eile faoi na buachaillí beaga chomh maith—buicéid uisce a iompar isteach, móin a choimeád leis an tine agus a leithéidí sin.

Bhíodh na cailíní ag obair sa teach, agus chomh maith leis sin bhídís i bhfeighil na gcearc agus i mbun cúrsaí bainne. Ní bhíodh aon uachtarlanna ann sa seansaol, agus ní hé amháin go mbíodh ar na cailíní na ba a chrú

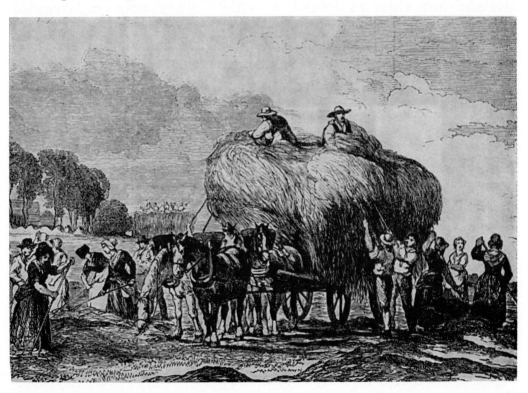

FÍOR 6: *Obair na feirme sa samhradh fadó*

saol ar an bhfeirm chéanna. Oibrithe eile, bhíodh píosa beag talún acu ón bhfeirmeoir, agus bothán tógtha acu air, agus socrú déanta acu leis an bhfeirmeoir go dtabharfadh siad roinnt laethanta sa bhliain ag obair dó, in ionad a bheith ag iarraidh airgead cíosa a íoc leis. Ach níor leor an méid sin chun obair na feirme ar fad a dhéanamh san fhómhar. Is iad na spailpíní a dhéanadh an obair bhreise ansin.

Bhí drochmheas ar an spailpín

FÍOR 7: *Obair do mhná: (a) An chuigeann (ar chlé); (b) An chuigeann á déanamh (ar dheis) — tá an loine á bualadh síos suas ag an gcailín*

ach freisin bhíodh orthu an chuigeann a dhéanamh (chun im a fháil).

Ach is sna goirt a thiteadh an chuid ba throime den obair ar na fir agus ar na mná araon. Ar na feirmeacha móra bhíodh roinnt oibrithe feirme fostaithe go buan, agus chaithidís siúd a

13

in Éirinn céad bliain ó shin. Go deimhin, thugtaí "spailpín" (nó **spalpeen** sa Bhéarla) le droch-mheas ar dhuine, chun a chur in iúl gur duine tútach gan mhaith gan mhaoin a bhí ann. Focal eile den chineál céanna díreach is ea **cábóg**. Ba í an bhrí chéanna a bhí leis is a bhí le "spailpín"—is é sin le rá, sclábhaí fánach feirme a d'oibreodh seal ar a phá—ach mar sin féin sa ghnáthchaint chiallaigh sé duine tútach gan bhéasa.

Is furasta a thuiscint conas mar a tharla an focal "spailpín" a bheith ina mhasla. Duine bocht a bhí sa spailpín (nó sa chábóg) a bhí tar éis teacht ón gcuid ba bhoichte den tír.

FÍOR 8: *Gleann Cholm Cille fadó*

FÍOR 9: *"Ón gcuid ba bhoichte den tír" — i gCo. Mhaigh Eo a tógadh na grianghraif seo, timpeall 1890 (níl simléar ná fuinneog le feiceáil)*

Más i gcathair nó i mbaile mór atá cónaí ort, b'fhéidir go bhfeictear duit gur mar a chéile í gach cuid den "tuath" ar fud na tíre. Ach bíonn difríochtaí móra idir na ceantair éagsúla thuaithe, agus difríochtaí móra san fheirmeoireacht a bhíonn ar siúl iontu.

Cé gur féidir saghsanna éagsúla feirmeoireachta a fheiceáil in aon limistéar amháin, mar sin féin má théann tú ag taisteal tríd an tír go léir tabharfaidh tú faoi deara gur curadóireacht a bhíonn ar siúl go coitianta san oirthear agus i gcuid den deisceart, agus síol á chur san earrach agus barra á mbaint san fhómhar; i lár na tíre feicfidh tú na ba go líonmhar sna páirceanna méithe glasa, agus iad ag iníor go sásta; ar thailte bochta an iarthair feicfidh tú caoirigh, go háirithe i gceantair shléibhtiúla.

Ba é an t-iarthar an chuid ba bhoichte den tír sa seansaol freisin. Bhí oirthear na tíre agus cuid mhaith den tuaisceart rafar go leor, agus bhí go leor feoirmeacha móra i lár na tíre. Ach

FÍOR 10:   *Ar an ngannchuid (Toraigh, 1895)*

16

FÍOR 11:   (a) Bothán sléibhe i gCo. Chiarraí; (b) Bothán fód i gCo. Dhoire

feadh chósta an iarthair, ó Thír Chonaill go dtí iarthar Chorcaí, bhí cuid mhór de na daoine ar an ngannchuid agus iad beo bocht. Sa cheantar sin a bhíodh cónaí ar an spailpín.

I mbothán bocht suarach a chónaíodh an spailpín de ghnáth. Is féidir léargas a fháil ar an mbothán sin ach breathnú ar na grianghraif sheanda atá sa leabhar seo. Seomra amháin a bhíodh ann go coitianta. Chaithfeadh an líon tí go léir maireachtáil sa seomra sin, agus dá mbeadh ainmhí ceansa acu—is é sin le rá bó nó muc—ba mhinic é siúd sa seomra céanna istoíche. As clocha a bhíodh cuid de na

bhí le fáil sa chomharsanacht. Urlár aimhréidh de chré fhliuch a bhíodh iontu. Cé go mbíodh tine mhóna ar lasadh iontu agus deatach go leor aisti, ní bhíodh de shimléar iontu ach poll deataigh—poll sa díon trína n-éalaíodh an deatach. Taobh amuigh den doras bhíodh carn aoiligh.

Má bhreathnaíonn tú timpeall ar do theach féin, tabharfaidh tú rudaí faoi deara ann nach mbíodh i dteach ar bith fadó—solas leictreach, raidió agus teilifís agus earraí plaisteacha. Ach ní bhíodh fiú amháin an gnáththroscán ag go leor daoine bochta fadó. B'fhéidir go mbeadh roinnt stólta acu, ar a suífeadh

FÍOR 12: *Ar stólta a shuíodh an líon tí; bhíodh na prátaí sa chiseog atá i lár baill*

botháin déanta, cuid eile as láib, agus fiú amháin cuid acu as fóid mhóna. Ní slinnte ná tíleanna a bhíodh ina ndíon orthu ach tuí nó luachair nó aiteann—cibé a

an líon tí, agus leaba gharbh de shaghas éigin (agus plaincéad amháin uirthi). Ach ba áit chónaithe é ar aon nós, agus dá olcas é b'fhearr é ná na daoine bheith

shaghsanna éagsúla a dhéantaí as prátaí agus plúr. Fíorannamh a bhíodh píosa feola acu, ach uaireanta bhíodh cabáiste nó cál nó cainneann measctha leis na prátaí.

Ní bhíodh na prátaí chomh blasta an uair sin agus a bhíonn anois, ach thugaidís barr maith arbh fhéidir a stóráil ar feadh na bliana. B'fhéidir go ndéarfá leat féin nár mhaith leat bheith i gcónaí ag ithe prátaí agus gan aon éagsúlacht san aiste bia, ach ar ndóigh ní raibh aon chleachtadh ag na daoine fadó ar an éagsúlacht bia a bhíonn le hithe ag daoine anois. Dá mbeadh scadán acu nó píosa bagúin, corr-

FÍOR 13: *An Górta Mór:* (a) *Ag cuardach bia* (thuas); (b) *Bás linbh* (thíos)

ina luí faoin spéir, gan fothain acu ón mbáisteach ná ón bhfuacht. An té a mbeadh bothán aige agus píosa beag talún ina gcuirfeadh sé prátaí dó féin agus dá chlann, d'fhéadfadh sé maireachtáil beo.

Ba iad na prátaí a choinníodh an bheatha sna bochtáin. Is cuid thábhachtach dár n-aiste bia féin iad na prátaí, ach d'itheadh na daoine i bhfad níos mó prátaí sa seansaol ná mar a ithimidne anois. Ní bhíodh sceallóga acu ná brioscáin faoi mar a bhíonn againne, ach bhíodh prátaí rósta acu, prátaí bruite agus cístí de

uair, chuirfeadh sin blas ar na prátaí dóibh. (Dála an scéil, tuigtear anois gur bia maith folláin é an práta, go háirithe má bhíonn deoch bhláthaí le hól leis an mbéile.)

Ba é an baol ba mhó a bhain leis an modh beatha sin ná go bhféadfadh meath a theacht ar iad, sna claíocha, agus ar na bóithre.

Sna blianta a lean an Gorta Mór tháinig athrú chun feabhais ar chuid den tír—go háirithe ar an oirthear agus ar lár na tíre. Ach san iarthar bhí a lán fós ag maireachtáil ar na prátaí, agus bhí eagla orthu i gcónaí go dtioc-

FÍOR 14: *Spréáil prátaí*

na prátaí. B'shin an rud ba chúis leis an nGorta Mór (1845-1848): tháinig aicíd nó galar darb ainm "an dubh" ar na prátaí. Níorbh fhéidir na prátaí lofa dubha a ithe agus fágadh a lán daoine gan bhia dá réir. Fuaireadar bás den ocras, agus den ghalar a lean é; cailleadh ina mbotháin féin fadh an dubh ar na prátaí arís. Tagann an dubh ar phrátaí sa lá inniu féin, go háirithe in aimsir bhog thais, tráth a leathann an galar go héasca, ach is eol dúinn anois gur féidir cosc a chur leis trí spréáil a dhéanamh ar na gais.

Ach fiú amháin dá mbeadh

20

píosa talún ag duine bocht sa chéad seo caite, agus prátaí curtha aige ann, níor leis féin an píosa talún. Chaithfeadh sé cíos a íoc, agus chuige sin chaithfeadh airgead a bheith aige. An té ba bhoichte ar fad, ní bhíodh fiú amháin talamh ar cíos aige de ghnáth, ach d'íocadh sé as cead a fháil chun prátaí a chur ar phíosa de thalamh scóir.

Bhíodh sé an-deacair do na bochtáin teacht ar airgead. Cuimhnigh nach mbíodh aon chúnamh stáit le fáil ag daoine an uair sin, ná pinsean seanaoise ná aon ní dá shórt. Dá mbeadh

bó ag duine d'fhéadfadh sé í a chrú agus im a dhéanamh den bhainne—agus bhí airgead ar im. Dá mbeadh dóthain talún aige d'fhéadfadh sé coirce a chur ann agus é a dhíol san fhómhar. Ach ní bhíodh an dóthain sin ag an spailpín.

Ní bhíodh ach an t-aon rud amháin le díol aige siúd, agus b'shin a chumas féin mar fhear oibre. Chaithfeadh sé taisteal soir gach bliain go dtí na feirmeacha móra, áit a mbeadh éileamh ar neart a ghéag agus allas a choirp. Chaithfeadh sé bheith ina spailpín fánach.

FÍOR 15:   *Baint an fhómhair fadó*

21

II
AR THÓIR NA hOIBRE

FÍOR 16:   *Spailpín ar thóir oibre, timpeall 1850*

AN tSIÚLÓID

Ní chleachtar an siúl fada, mórán, in Éirinn sa lá inniu. Baineann daoine feidhm as carranna nó busanna nó traenacha mar ghléas taistil de ghnáth. Ach fadó ní raibh aon charr ná bus ann. Bhí cóistí ann, agus cairteacha de shaghsanna éagsúla agus capaill diallaite, ach ní bhíodh aon teacht ag duine bocht de leithéid an spailpín orthu siúd. Mar sin, chaithfeadh sé taisteal de shiúl na gcos.

De ghnáth nuair a thugann daoine faoi shiúlóid fhada anois is mar chaitheamh aimsire a dhéanann siad é, go háirithe más baill iad de na gasóga nó de An Óige. Tá daoine eile ann, tú féin ina measc b'fhéidir, agus is í an tsiúlóid is faide a mbíonn siad páirteach inti ná siúlóid urraithe chun airgead a bhailiú do chúis charthanachta éigin. An uair sin féin, má shiúlann tú deich míle is cinnte go mbíonn tuirse ort ina dhiaidh. Ach ní deich míle a bhí le siúl ag an spailpín ach céad míle nó níos mó.

Bhí air éirí go moch ar maidin agus bóthar a bhualadh agus gan le hithe aige ach cúpla práta. B'éigean dó fiche nó tríocha míle de bhóthar a chur de sa lá agus gan de bhéile aige feadh na slí ach cúpla práta fuar a thug sé leis ina phóca, nó bonnóg aráin.

Nuair a thugann duine faoi shiúlóid fhada chun spóirt, de ghnáth féachann sé chuige go mbíonn éadach oiriúnach air—raonchulaith nó anarac, agus bróga compordacha. Ach breathnaigh ar na spailpíní atá léirithe sa dá Fhíor 1 agus 16. Cótaí troma righne atá á gcaitheamh acu—cótaí atá i bhfad níos troime ná an gnáthchóta mór a chaitheann daoine anois—casóg ghearr nó veist, léine agus bríste glún.

I gceantair áirithe dhéantaí na héadaí as an mbréidín baile—éadach a dhéantaí cois teallaigh de lomra na gcaorach. I gceantair eile bhíodh éadach athchaite le ceannach go saor ar aontaí agus ar mhargaí.

Níl bróga ar bith ar na spailpíní atá i bhFíoracha 1 agus 16 ach tá siad á n-iompar ina lámha acu. Cén fáth, meas tú, gur ag siúl cosnochta atá siad? Le nach dtiocfaidh caitheamh ar na bróga. Is féidir **siúl** cosnochta, ach tá gá leis na bróga mar sin féin—ní féidir lá a thabhairt ag romhar cosnochta gan dochar a dhéanamh do na cosa.

Bhí cleachtadh maith ag gach spailpín ar shiúl cosnochta ó thús a shaoil, agus go deimhin ní chuirtí an bríste féin ar na buachaillí óga go dtí go mbídís

FÍOR 17: (a, b) "Ba nós leis na cailíní agus na mná siúl cosnochta"

ag dul amach ag obair; cóta beag ar nós léine nó gúna a bhíodh orthu go dtí sin. Ba nós leis na cailíní agus na mná siúl cosnochta freisin, cé go gcuiridís bróga orthu nuair a bhídís ag druidim le baile mór nó nuair a bhídís ag dul ar Aifreann maidin Domhnaigh.

Is féidir lorg na spailpíní a leanúint fós, agus má amharcann tú ar léarscáil na hÉireann is féidir fad a dturas a thomhas. Shiúlaidis ón iarthar go dtí lár na tíre agus go dtí an t-oirthear féin. Fiú i gContae Bhaile Átha Cliath bhíodh spailpíní ag obair d'fheirmeoirí céad bliain ó shin, in áiteanna atá anois faoi thithe.

Bhíodh sé de nós ag go leor

26

FÍOR 18: *Spailpín as Ciarraí*

acu triall gach bliain ar cheantar áirithe ina mbíodh aithne orthu. Ó iarthar agus ó dheisceart Chorcaí, mar shampla, thaistealaíodh siad go dtí tuaisceart an chontae chéanna. (Mheasfá, b'fhéidir, nár rófhada an turas é sin, ach bhíodh breis agus céad míle slí ann.) Ar an modh céanna bhíodh dreamanna ó iarthar

27

FÍOR 19: *Iarann bróige: ach é a cheangal den bhróig, ba mhór an chabhair é chun rómhair*

Chiarraí ag déanamh ar thuaisceart an chontae sin agus isteach i gContae Luimnigh. Cuid eile acu, théadh siad níos faide fós, soir ó thuaidh go dtí Contae Thiobraid Árann agus isteach i gCúige Laighean.

Bhíodh turais fhada den sórt céanna á dtabhairt ag spailpíní ar fud na tíre go léir: ó Chontae an Chláir go dtí Contae Luimnigh, ó Chonamara go dtí oirthear na Gaillimhe, ó Mhaigh Eo agus ó iarthar Thír Chonaill soir, ó dheisceart Uladh go dtí Contae na Mí, agus mar sin de.

I gcás go rachadh an spailpín ag obair d'fheirmeoir mór, seans go mbeadh scór eile ag obair ina theannta, agus cinnte ní bheadh an feirmeoir sásta scór láí a cheannach dóibh. Mar sin, ní fhéadfadh an spailpín obair a fháil ag rómhar sna goirt gan a láí féin a bheith aige.

Siúd ar aghaidh leis an spailpín ar an mbóthar fada. Dá mba phríomhbhóthar é, nó bóthar cóiste, ní bheadh sé go dona. Ach murarbh ea, ní bheadh ann ach cosán garbh. Bhíodh na cosáin sin coitianta go leor faoin tír an tráth úd; tá siad imithe i léig anois ó tá feabhas curtha ar na bóithre trí chéile, agus is beag feidhm a bhaintear astu. (Bíonn cuid éigin díobh á n-úsáid i gcónaí ag muintir na tuaithe mar chóngair dóibh féin, ach tá cuid eile acu a bhfuil an féar agus an t-aiteann ag fás orthu le fada.)

Dá mbeadh an aimsir tirim te, bheadh na bóithre crua agus an deannach ag éirí ina néalta uathu. Dá fhliuchfadh sé, áfach, bheadh na bóithre bog láibeach agus cosa an spailpín thuirsigh ag dul i mbá sa láib. Ach ní turas gruama a bhíodh ann i gcónaí.

Ní ina aonar a théadh an spailpín de ghnáth, ach i dteannta buíon comrádaithe a ghiorródh an bóthar dó le caint agus le comhrá. Fiú mura mbíodh mórán de mhaoin an tsaoil ag na spailpíní, níor dhaoine dúra aineolacha iad. Cainteoirí breátha deisbhéalacha ba ea a lán acu, agus daoine éirimiúla beachta. Chuiridís suim sa dúiche iasachta, sna feirmeacha breátha agus sna daoine a chastaí orthu.

Go minic is i mbuíon mar sin a théadh buachaill ar a chéad turas fada "síos amach". Bheadh fir láidre chrua ina theannta—fir a bhí tar éis an turas a thabhairt go minic cheana. Ní mórán seandaoine a bhíodh ina measc, áfach. Bhí an obair an-mhaslach, agus thagadh daitheacha agus pianta agus galair chléibh ar na spailpíní roimh aois. Faoin am a mbíodh caoga bliain acu bhíodh an neart agus an lúth á dtréigean. Fuair cuid acu bás den obair, agus go deimhin bhí cuid acu a fuair bás ar an mbóthar agus iad i bhfad óna ndúiche féin.

Níor thairbhe do shláinte an spailpín an chaoi ina mbíodh air dul a luí istoíche. B'fhéidir go bhfaigheadh sé lóistín oíche cois tine i mbothán éigin, go háirithe dá mbeadh aithne air ann, nó dá mbeadh cúpla pingin ina phóca aige a dhíolfadh as an lóistín. Ach bhíodh na pinginí ag teastáil chomh géar sin uaidh de ghnáth nach bhféadfadh sé iad a chaitheamh ar lóistín. Ní bhíodh le déanamh ansin aige ach casadh isteach i scioból éigin nó fiú amháin luí síos ar thaobh an bhóthair agus codladh ansin faoi dhrúcht na hoíche.

Níor bhaol go robálfaí ansin é, mar gurbh eol do mhuintir na tíre nach mbeadh aige ach an cúpla pingin. Ach ar an mbealach abhaile dó ón bhfómhar bheadh airgead aige gan amhras. Chuirfeadh sé an t-airgead sin i dtaisce go cúramach, ina bhróig b'fhéidir nó i stoca, nó i sparán a bheadh fite isteach ina chasóg. Bheadh cúis mhaith aige le haire a thabhairt don airgead céanna, mar gan amhras bheadh sé tuillte go daor aige ón gcéad lá ar dhein sé haighreáil le feirmeoir.

FÍOR 20: *Baile margaidh timpeall 1900*

AN HAIGHREÁIL

Sna bailte margaidh a haigh-reáiltí an spailpín fadó. Go dtí le déanaí is beag athrú a bhí tagtha ar na bailte margaidh ón am sin i leith; bhí cuma na sráideanna agus na dtithe agus na siopaí mórán mar a bhí céad bliain ó shin nó níos mó, tráth a mbíodh na spailpíní ag teacht isteach iontu. Fós féin i mbaile mar-gaidh is féidir "croí" an tsean-bhaile a fheiceáil go soiléir, cé gur minic meath tagtha ar an gcuid is seanda de, agus na tithe agus na siopaí ag dul i léig. Bíonn na foirgnimh is tábhach-taí le feiceáil fós—an eaglais agus teach na cúirte, agus teach an mhargaidh uaireanta. Ba í spuaic na heaglaise an chéad rud a d'fheiceadh an spailpín fadó agus é ag déanamh ar an áit; is iad na bungalónna agus na fóg-raí móra ar thaobh an bhóthair na rudaí is túisce a d'fheicfeadh sé anois, áfach.

Tig leat féin a shamhlú cén chuma a bhí ar an mbaile an uair sin, go háirithe má tá aon rian fágtha sa chomharsanacht den seantroscán sráide a bhí ann sular cuireadh córas leictreachais isteach agus uisce reatha—caidéil, umair chapall, lampaí gáis, srl.; má fhéachann tú go grinn ar na pictiúir atá sa chaibidil seo, feicfidh tú cuid de na hiarsmaí atá i gceist.

Tá baint ag cuma an bhaile mar atá anois leis an bhfeidhm a bhíodh aige fadó. Má tá sráid mhór leathan ann, nó cearnóg leathan, is ansin a bhíodh na haontaí agus na margaí fadó; i mbailte áirithe bhíodh páirc an aonaigh taobh leis an mbaile. Chruinníodh muintir na tuaithe isteach chun ba, caoirigh, capaill agus muca a dhíol agus a cheannach, agus chun earraí a cheannach sna siopaí. (Bhíodh cearca agus muca á dtógáil ag a lán de mhuintir an bhaile freisin, ina gcúlchlóis féin, fiú sna cathracha móra, leithéidí Bhaile Átha Cliath.) Ar ndóigh, is beag aonach ná margadh a bhíonn ar siúl anois, ach marglanna ar fad, beagnach.

I gceantair áirithe, bhíodh aontaí haighreála ar siúl go rialta. Aontaí iad siúd ar a gcruinníodh muintir na tuaithe, idir fhir, mhná agus pháistí, chun fostaíocht a lorg. Lá an aonaigh sin bhíodh an baile lán díobh, iad ina seasamh ar na sráideanna go dtiocfadh na feirmeoirí á haighreáil. Oibrithe de gach aon saghas a bhíodh cruinnithe isteach. Bhíodh gnáth-oibrithe feirme á haighreáil ar feadh bliana, ach bhíodh a lán eile á bhfostú ar feadh ráithe nó sé mhí, go háirithe nuair ba dhaoine óga iad.

Ach ní ar na haontaí haighreála a thagadh an spailpín ar lorg oibre de ghnáth. Lá margaidh nó lá aonaigh ar bith, sa séasúr, sheasfadh sé siúd sa tsráid agus níor ghá a insint d'aon fheirmeoir cérbh é nó cad a bhí uaidh. Ar ndóigh, bhíodh an láí nó ball acra eile ina láimh aige, á fhógairt cérbh é féin. Sna bailte éagsúla bhíodh sé de nós ag na spailpíní cruinniú ag ionad nó ag cúinne áirithe. ("**Cros na gCábóg**" a thugtar fós ar chrosbhóithre áirithe ag a haighreáiltí spailpíní — cábóga — fadó.) Maidin Domhnaigh, sheasadh siad ag geata na heaglaise, agus nuair a bhíodh na feirmeoirí ag teacht amach as an Aifreann d'fheicidís ansin iad.

Ní ar feadh tréimhsí fada a haighreáiltí iad. I dtús an fhómhair shocraídís ar ráta áirithe pá in aghaidh an lae. Níos déanaí sa bhliain, nuair a bhíodh na prátaí le baint, shocraídís de ghnáth ar

FÍOR 21:   *An t-aonach i lár an bhaile*

phá áirithe in aghaidh na seach-
taine.

Chaithfeadh an spailpín a
mhargadh féin a dhéanamh leis
an bhfeirmeoir. An méid a
gheobhadh sé, bhraithfeadh sé
sin ar an éileamh a bheadh ar
lucht oibre. Dá mbeadh a lán
spailpíní ar an láthair agus gan
mórán feirmeoirí ann á lorg, ní
bheadh pá fiúntach á thairiscint
dóibh. Ach dá mbeadh a lán feir-
meoirí ar an aonach agus gan
mórán spailpíní ann, bheadh air-
gead maith le fáil acu.

Go gairid tar éis bhlianta an
Ghorta Mhóir, nuair a bhí gann-
tanas áirithe fear oibre ann,
shiúil na spailpíní síos suas na
sráideanna i roinnt de na bailte
margaidh á fhógairt nach nglac-
faidís le pá íseal.

Bhíodh neart rudaí ag cur
isteach ar na rátaí pá. Dá
mbeadh an fómhar aibí, bheadh
na feirmeoirí sásta rátaí arda pá
a íoc chun é a bhaint; dá mbeadh
an ghaoth ag éirí agus í ag
croitheadh an arbhair, thabhar-
fadh siad aon airgead ar bhuan-
aithe! Tharla go minic gur ard-
aigh nó gur ísligh an ráta pá de
réir mar a bhí an lá ag imeacht.

Cé mhéad airgid a bhíodh le

fáil ag an spailpín go coitianta? Tríd is tríd, bhíodh idir scilling amháin agus dhá scilling in aghaidh an lae aige (b'ionann scilling agus cúig pingine nua). Ina theannta sin, in Éirinn de ghnáth thugtaí "marthain" don spailpín—trí bhéile bia sa lá, agus leaba. Is beag má tháinig aon mhéadú ar rátaí pá na spailpíní feadh an naoú haois déag go léir, agus go deimhin bhí ag laghdú orthu go minic.

Céad bliain ó shin, mar shampla, ní raibh ach ocht nó naoi scilling le fáil in aghaidh na seachtaine ag spailpín agus é ag baint prátaí. Airgead suarach a bhí ansin gan aon amhras, ach ní miste a rá nach raibh sé díreach chomh suarach agus a cheapfá, b'fhéidir. Ní féidir comparáid dhíreach a dhéanamh idir cúrsaí airgid an uair sin agus cúrsaí airgid anois, ach is féidir a rá gur mó i bhfad ab fhiú scill-

FÍOR 22: *Tá an lá ag imeacht, ach tá neart cairteacha fós ar an aonach*

ing céad bliain ó shin ná mar is fiú cúig pingine anois — is é sin le rá, gur mó i bhfad a cheann-ódh duine ar an airgead sin an uair sin ná mar a cheannódh sé anois. Mar sin féin, níl amhras ná go raibh na daoine trí chéile i bhfad níos measa as fadó ná mar atá siad anois—cúig huaire níos measa as, de réir meastach-áin amháin.

Dá bhféadfadh an spailpín oib-riú ar feadh fiche seachtain nó mar sin, agus a phá go léir a chur i dtaisce agus gan aon phingin de a chaitheamh, bheadh dóthain aige le híoc as cíos an acra talún ina gcuirfeadh sé prátaí dó féin agus dá chlann.

Níor thúisce an spailpín haghráilte ná chaithfeadh sé aghaidh a thabhairt ar an bhfeirm i dteannta an fheirmeora. Dá mba chapall diallaite a bheadh aige siúd, d'imeodh sé leis abhaile agus an spailpín ag siúl ina dhiaidh. Dá mbeadh cairt aige nó trap, b'fhéidir go dtairgfeadh sé síob don spailpín—agus b'fhéidir nach dtairgfeadh; níorbh é gach feirmeoir a ghlacfadh leis go raibh sé de cheart ag spailpín suí sa chairt i dteannta a mháistir.

Nuair a shroicheadh sé teach na feirme thugtaí greim bia le hithe don spailpín. Prátaí a bhíodh ann go coitianta, ach in áiteanna áirithe thugtaí leite dó, nó arán coirce nó arán siopa. Bláthach nó, uaireanta, bainne géar a thugtaí le hól don spailpín. Ba í an bhláthach an chuid sin den bhainne a bhíodh fágtha tar éis an chuigeann a dhéanamh agus an t-im a bhaint den bhainne. B'fhéidir nach dtaitníonn an bhláthach leat féin mar dheoch, ach is deise go mór í ná an bainne géar!

Bhí an-tábhacht go deo leis an muga bainne nó bláthaí san aimsir bhreá. Cuimhnigh ar an tart a bhíonn ort féin lá samhraidh agus gan ach uair an chloig caite agat ag imirt nó ag súgradh faoi theas na gréine. Ba mhó i bhfad ná sin an tart a bheadh ar an té a chaithfeadh an lá ag obair go dian faoin ngréin. Níorbh fhóláir don spailpín bheith ag ól na dí go minic mar sin nó ní fhéadfadh sé an cailleadh allais a sheasamh.

FÍOR 23: *As an bpigín adhmhaid (ar chlé) a d'óladh an spailpín deoch bhláthaí; sa tobán adhmaid (ar dheis) a choinnítí an t-im*

I gceantair áirithe thugtaí leann don spailpín le hól, ach níor leann folláin é go minic ach leann gan mhaith a chuirfeadh breoiteacht ar an té a d'ólfadh é. Dá bhfaigheadh spailpín bocht bás ar an bhfómhar—rud a tharla uaireanta — chreidfeadh a chompánaigh go coitianta nárbh í an obair a mharaigh é ach an obair agus an drochdheoch i dteannta a chéile.

Tar éis béile na hóiche a chaitheamh théadh an spailpín a luí. Ní aon leaba ghalánta a bhíodh roimhe, ach ar ndóigh bhíodh sé chomh tuirseach sin gur chuma mórán leis faoin ngalántacht. Bheadh an t-ádh leis áit chodlata a fháil i dteach na feirme, cois na tine sa chistin, nó sa codladh na maidine a fháil—ach níor bhaol go ligfí codladh na maidine leis an spailpín. Chaithfeadh sé a bheith ina shuí go moch ar maidin agus chaithfeadh sé a bheith i mbun oibre le breacadh an lae. Amach anseo, i Roinn a Trí den leabhar, beimid ag cur síos ar na cineálacha éag-

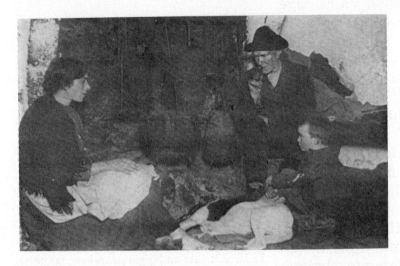

FÍOR 24: *Cois na tine fadó*

lochta os a cionn. Go minic, áfach, is sa lochta os cionn an stábla nó sa scioból nó i seanteach de shaghas éigin a shíneadh sé síos. Sa drochaimsir b'fhurasta don fhuacht agus don bháisteach briseadh isteach tríd an díon agus trí na ballaí. An leaba féin, ní bhíodh inti go minic ach baclainn féir a chaití ar an urlár agus mála síl nó a leithéid mar phlaincéad os a cionn.

An té a bheadh tar éis aistear fada a chur de, ba mhian leis súla oibre a bhíodh ar siúl aige i dtrátha éagsúla na bliana. Go déanach san fhómhar, nuair a bhíodh na prátaí á mbaint aige, ní bhíodh solas an lae aige chomh luath agus a bhíodh i lár an tsamhraidh, ach mar sin féin chaithfeadh sé féin agus na spailpíní eile bheith ina seasamh ag ceann an iomaire roimh an solas, agus iad réidh chun tosú.

Uaireanta thugtaí greim bia dó sula dtugadh sé aghaidh ar an ngort, ach i gceantair áirithe bhíodh sé ar céalacan go dtí a naoi nó a deich a chlog ar maidin; is ansin a ghlaoití chun bia air.

Ar na feirmeacha beaga, ba é an feirmeoir féin a bhíodh i bhfeighil na bhfear, ag glaoch go hard orthu ar maidin agus á ngríosú chun oibre feadh an lae. Ach ar roinnt de na feirmeacha móra bhíodh an cúram sin ar shaoiste nó scológ. Bhíodh seisean ag áiteamh ar na fir agus ag bagairt orthu feadh an lae—agus fiú á mbualadh lena dhorn uaireanta.

Bhíodh roinnt de na fir ag iomaíocht lena chéile, féachaint cé acu ba thúisce a dhéanfadh an obair nó a bheadh "i dtosach gearrtha". Uaireanta dhéantaí coróin bheag nó bláthfhleasc de bhláthanna an ghoirt, agus chuirtí ar hata an fhir ab fhearr í, á léiriú gurbh é siúd "rí" na

FÍOR 25: Comórtas! Tá an fómhar bainte: cé a bhainfidh an phunann dheireanach — "an chailleach"?

spailpíní. Bhíodh na fir mórtas-
ach as a neart coirp féin, agus
bhíodh an bhuíon go léir ag iarr-
aidh coimeád céim ar chéim leis
an "rí", nó bheadh an scológ á
gcáineadh agus á lochtú. Nós é
sin a bhí an-dian ar na fir aosta
go háirithe.

Ní chuirtí stop leis an obair go
dtí go déanach istoíche, nuair a
bhíodh na héin féin imithe a
chodladh, cé is moite de na hul-
chabháin a bhíodh ag eitilt go
ciúin os cionn na ngort ar thóir
na luch agus na n-ainmhithe
beaga eile a bhíodh ruaigthe as
a neadacha ag na hoibrithe. Fiú
an spailpín ba chrua agus ba
láidre, níl amhras ná go mbíodh
tuirse ar a chnámha agus é ag
déanamh ar a leaba an oíche sin.
Agus ní bhíodh ach an chéad lá
curtha isteach fós aige!

FÍOR 26: *Cistin bhreá as teach feirme*

FÍOR 27: *Gal-long ar Mhuir Éireann*

I SASANA THALL

Ní in Éirinn amháin a théadh an spailpín fánach ag tuilleamh a choda, ach i Sasana chomh maith. A lán de na daoine óga a thugann cuairt ar Shasana anois, is chun cluiche a fheiceáil a théann siad, nó chun "obair saoire" a fháil. Ach théadh an spailpín anonn fadó chun airgead an chíosa a thuilleamh dó féin agus dá chlann.

Beagán thar chéad bliain ó shin, bhíodh ar fhir an iarthair siúl trasna na tíre ar dtús go dtí Baile Átha Cliath nó Droichead Átha nó Doire chun dul ar bord bád guail nó a leithéid sin, bád a bheadh ag filleadh ar Shasana agus í folamh. Chaithidís an turas i mbroinn dhorcha shalach an bháid, agus níorbh aon turas compordach é. Dá dtarlódh dóibh taisteal ar bord bád eallaigh, áfach, bheadh orthu fanacht ar deic feadh an turais, agus is iad a bheadh fliuch báite ar shroicheadh Shasana dóibh. Thart ar dhá scilling (deich bpingine nua) a d'íocaidís as an turas farraige.

Tháinig feabhas éigin ar chúrsaí taistil na spailpíní i lár an naoú haois déag nuair a shocraigh comhlacht iarnróid ar chóras saorthaistil a chur ar fáil dóibh. Ar l.40 (Fíor 28) tá cartúin "ghreannmhara" den chóras taistil timpeall an ama sin, agus is dócha nach gá aon mhíniú a thabhairt orthu—ach go bhfóire Dia ar na daoine bochta i gcarráistí an tríú grád. Ach dá shaoire iad na carráistí sin, fós

An chéad ghrád

An dara grád

An tríú grád

FÍOR 28:   *Taistealaithe traenach fadó*

bhíodar ródhaor do na spailpíní, agus mar sin chuir na húdaráis carráistí den cheathrú grád ar fáil le haghaidh na spailpíní a bhíodh ag taisteal ó iarthar na tíre go dtí Baile Átha Cliath. Is féidir leat féin a shamhlú cén chuma a bhíodh orthu, agus a rá go rabhadar níos measa ná an tríú grád. Go deimhin, ní bhíodh ach cúig scilling nó mar sin.

I mbuíonta láidre a thaistealaíodh na spailpíní thar lear de ghnáth. Ba dheas leo an comhluadar agus gan amhras bheadh eolas an bhealaigh ag roinnt de na fir a thug an turas cheana. Ba radharc coitianta é an uair úd i Sasana dream de spailpíní gioblacha a fheiceáil ag siúl bóithre

FÍOR 29:   *Baint an fhómhair leis an gcorrán*

iontu ach vaigíní beithíoch. Ach cé go mbíodh na scórtha spailpíní brúite isteach san aon vaigín amháin, b'fhearr leo é sin ná an siúl fada faoin ngréin, agus ní chosnaíodh "ticéad an fhómhair" na tuaithe, iad garbh féasógach agus dath na gréine orthu agus iad ag caint lena chéile go tapa i dteanga nár thuig muintir na tíre. Beagán thar chéad bliain ó shin, bhíodh a chorrán géar á iompar ina láimh ag gach fear acu agus súgán casta timpeall air go cúramach ar eagla go ngearrfaí duine leis. (Nuair a tosaíodh ina dhiaidh sin ar an arbhar a bhaint le speal, bhíodh an speal acu in ionad an chorráin, agus éadach timpeall ar an lann.)

Bhí cúiseanna go leor le go ngabhfadh na spailpíní i dteannta a chéile. Ba bheag fáilte a bhí rompu in áiteanna áirithe, agus uaireanta b'éigean dóibh iad féin a chosaint i mbruíonta ar an mbóthar agus sna bailte margaidh. Bhí tuairim ag cuid de chosmhuintir Shasana go mbeadh pá níos airde le fáil acu féin murach na hÉireannaigh a bheith ann agus iad sásta obair a dhéanamh ar phá íseal. Níorbh fhíor sin dóibh i gcás na spailpíní; go deimhin, murach iad siúd a bheith ar fáil i gceantair áirithe, níorbh fhéidir an fómhar a bhaint ar chor ar bith, mar nach mbeadh teacht ag na feirmeoirí ar oibrithe a bhainfeadh é. Ach níor thuig na Sasanaigh i gcoitinne é sin agus chomh maith leis sin bhí blas ann i gcónaí den sean-naimhdeas stairiúil idir Protastúnaigh Shasana agus Caitlicigh na hÉireann. Ach ba chóir a mheabhrú freisin go raibh go leor de mhuintir Shasana a chuidíodh go fial leis na spailpíní agus a bhíodh cairdiúil leo. Cinnte, bhíodh meas ag na feirmeoirí orthu, mar nach staonfaidís riamh ón obair, dá dhéine í.

Chuirtí cóir mhaith orthu ina lán de na háiteanna úd ina raibh aithne orthu, go háirithe nuair nach mbíodh ach duine nó beirt ag obair ar aon fheirm ar leith. Bhíodh pá níos fearr le fáil acu ar an bhfómhar i Sasana ná mar a bhíodh in Éirinn; trí scillinge nó mar sin a bhíodh acu in aghaidh an lae. D'fhágadh sin go mbíodh £10 nó £12 acu ar fhilleadh abhaile dóibh.

Laghdaigh de réir a chéile ar an spailpínteacht sin, agus cé gur thaistil 100,000 spailpín go Sasana sa bhliain 1865, ní raibh ach leath an méid sin ag taisteal in 1879.

Tharla uaireanta gur shocraigh spailpíní ar fhanacht thall, ag déanamh bóithre nó iarnród. Cuid eile acu, chuadar ag obair ina ndugairí nó ina ngualadóirí i Learpholl agus i mbailte poirt eile.

Focal Scoir

Cé gurbh iad na spailpíní a mhair céad bliain ó shin is ábhar don leabhar seo, mar sin féin ní miste focal a rá i dtaobh na spailpínteachta a chleachtaí i Sasana san aois seo.

Tháinig cuid mhaith den tseanspailpínteacht chun deiridh ar

fad nuair a thosaigh an Chéad Chogadh Domhanda, 1914-1918, agus a tháinig athrú buan ar mhodhanna talmhaíochta Shasana. Mar sin féin, lean roinnt de na spailpíní den taisteal go Sasana feadh na tréimhse idir an dá Chogadh Domhanda, 1918-1939. Ní raibh an saol chomh dian orthu siúd agus a bhí ar an dream a chuaigh rompu, áfach.

I mbailte beaga san iarthar chruinníodh dreamanna ógfhear ag stáisiún na traenach i lár mhí an Mheithimh. Bhídís ag tabh-

FÍOR 30: An "navvy": fear déanta na canála agus an iarnróid

airt aghaidhe ar Lancashire agus Yorkshire, agus go háirithe ar na haontaí haighreála sna síreanna sin. Ag na haontaí bhíodh fostaíocht le fáil acu ar feadh míosa leis na feirmeoirí, go dtí go mbíodh an féar bainte. Ina dhiaidh sin ghluaisidís leo ar aghaidh agus bhainidís an fómhar i ngoirt fhairsinge Shasana. De ghnáth is ag obair de réir na seachtaine a bhídís go dtí go mbíodh an fómhar bainte. Ina dhiaidh sin arís thriallaidís ar Lincolnshire agus oirthear Shasana, áit a mbíodh prátaí á mbaint go forleathan. Tar éis na prátaí a bheith bainte acu, b'fhéidir go bhfanfaidís tamall chun biatas a bhaint, ach bheidís ag filleadh ar Chonnachta agus ar Thír Chonaill tar éis na Samhna.

Bhíodh an obair dian go maith, go mór mór ar na prátaí, agus níor mhaith an chóir a chuirtí ar na spailpíní aimsir na bprátaí a bhaint, go háirithe in Albain. Bhíodh orthu codladh ar leaba thuí i seid fhuar (a dtugtaí botaí nó bothóg uirthi in Albain), agus chuiridís buachaill amháin i bhfeighil cúrsaí bia. Tae agus arán (agus, b'fhéidir, píosa feola corruair) a bhíodh le hithe acu. Tharla roinnt tionóiscí agus uafás sna bothóga, agus b'ainnis an saol a bhíodh ag na spailpíní iontu.

43

An fear a théadh ag spailpínteacht an uair sin, bhíodh isteach is amach le £30 ina phóca aige agus é ag filleadh ar an mbaile. Airgead maith a bhí ansin daichead bliain ó shin agus ba mhór an chabhair é don spailpín chun riachtanais na beatha a cheannach dá chlann agus chun an geimhreadh fada a chur isteach gan chruatan.

Anuas go dtí caogaidí agus seascaidí na haoise seo, bhí na fir chrua fós ag triall ar Shasana aimsir an fhómhair a bhaint.

Ghabhaidís timpeall na tíre fós ina mbuíonta nó "paddygangs" agus iad ag baint prátaí agus biatais, ag tarraingt lín nó ag déanamh pé obair eile a bheadh rompu ar na feirmeacha. Timpeall £5 in aghaidh na seachtaine a bhíodh ag gnáthoibrí feirme i Sasana sna caogaidí; ach mhaíodh na hoibrithe Éireannacha ab fhearr go mbíodh a seacht nó a hocht oiread sin á fháil acu! Is dócha nach raibh a sárú riamh ann mar oibrithe feirme.

44

III
AN OBAIR

FÍOR 31: *"Faobhar! Faobhar!" An clár speile á chuimilt den lann*

BAINT AN FHÉIR

Is ag cur síos ar ghnéithe ar leith d'obair an spailpín in Éirinn a bheimid sa chaibidil seo agus sa dá chaibidil a leanann í. Tosóimid leis an bhféar.

Tá a fhios ag gach uile dhuine cad is féar ann, cé nach n-aithníonn a lán gur barr é. Ach go deimhin is é an féar an barr is forleithne ar fad in Éirinn, agus murach é a bheith le hithe ag ba agus ag caoirigh ba ghairid go mbeimis go léir gan feoil gan bhainne.

Má tá gairdín beag féir agat féin ar aghaidh an tí nó ag a chúl, beidh a fhios agat gur san earrach agus sa samhradh a fhásann an féar agus gur beag fás a thagann air sa gheimhreadh. Ní foláir do na feirmeoirí féachaint chuige i gcónaí go mbeidh dóthain d'fhéar an tsamhraidh le hithe ag na ba sa gheimhreadh. Is féidir leo é sin a dhéanamh ar dhá mhodh — modh nua agus modh seanda.

Sa mhodh nua baintear feidhm as meaisín mór a ghabhann timpeall na páirce féir go mall. Gearrann sé an féar glas go mion agus bailíonn sé isteach ina bholg féin é. Sadhlas a thugtar ar an bhféar glas bearrtha sin a chuirtear i dtaisce faoi chlúdach poilitéine i gcomhair an gheimhridh. Is breá leis na ba an sadhlas, ach bíonn baol amháin ag baint leis, is é sin gur féidir leacht a shileadh as an log ina gcoimeádtar é—leacht a mharódh a lán éisc dá ndéanfadh sé a bhealach isteach in abhainn nó i loch.

FÍOR 32: *Meaisíní bun agus barr na feirmeoireachta inniu*

47

An modh seanda, is modh é a mbíodh eolas rómhaith ag an spailpín air. Ligeann an feirmeoir don fhéar fás leis ar feadh cúpla mí agus ansin déanann sé an féar fada a bhaint agus a thriomú le haghaidh an gheimhridh.

Tá meaisíní ann anois chun an féar a bhaint, ach céad bliain ó shin is leis an speal a bhaineadh an spailpín agus na hoibrithe eile é. An bhfaca tú speal riamh? (Tá ceann le feiceáil i bhFíor 31.) Úsáidtear fós í ar fheirmeacha beaga, go háirithe i gceantair shléibhe agus a leithéidí, áiteanna nach mbeadh oiriúnach do na meaisíní. Go deimhin, úsáidtear anois is arís í ar fheirmeacha móra, i lúb nó i bpaiste beag talún nach féidir teacht air le meaisín. Sna cathracha féin, is í an speal a úsáidtear uaireanta chun fiailí agus féar fada a leag-

an i ngairdín atá imithe chun fiántais. (Dála an scéil, má ghlacann tú speal i do láimh bí an-chúramach léi, mar b'fhurasta tú féin — nó duine eile — a ghortú léi.)

Sa samhradh fadó bhíodh an speal á luascadh go rithimiúil i móinéir na hÉireann ó mhoch na maidine go dtí titim na hoíche agus an féar á leagan aici sraith i ndiaidh sraithe. Ba mhaith an spealadóir a bhainfeadh acra féir sa lá, ach dá mbeadh buíon spealadóirí ag obair i dteannta a chéile níorbh fhada uathu móinéar fairsing a bhaint. Ina dhiaidh sin bhíodh orthu an féar a chasadh agus a chíoradh chun deis a thabhairt don ghrian agus don ghaoth é a thriomú. Is i mí an Mheithimh a bhaintí an féar fada, agus i gcónaí bhíodh súil ag lucht an fhéir leis an aimsir a bheith go breá sa mhí sin. (Féar

FÍOR 33: *Spealadóirí agus a gcúntóirí ar obair*

48

nach mbíodh tríomaithe i gceart, níorbh fhada go n-éiríodh sé dreoite.)

Chruinnítí an féar tirim ina dhiaidh sin agus dhéantaí cocaí féir; feicfidh tú cocaí féir á ndéanamh fós, ach uaireanta an- ois déantar an féar a cheangal ina bhearta cearnógacha dá ngairtear burlaí.

Má fhéachann tú siar ar Fhíor 6, feicfidh tú pictiúr deas de lucht féir fadó; i Sasana a deineadh an pictiúr, sa bhliain 1850.

Má bhíodh obair le déanamh ag an spailpín ar an bhféar fadó, ba bheag í i gcomparáid le baint an fhómhair.

Gné thábhachtach den saol is ea bhaint an fhómhair, agus ní hé cúram an fheirmeora amháin í ach cúram gach duine againn a itheann gnáthbhéilí bia. An gnáthbhuilín aráin, bíonn sé déanta as plúr a deineadh de ghrán planda a baineadh san fhómhar. Má itheann tú calóga arbhair ar maidin, nó babhla leitean, is féidir leat a fháil amach cén planda as ar deineadh an bia sin ach breathnú ar an scríbhinn ar thaobh an mhála nó an bhosca inar díoladh é.

Eorna, coirce agus cruith-

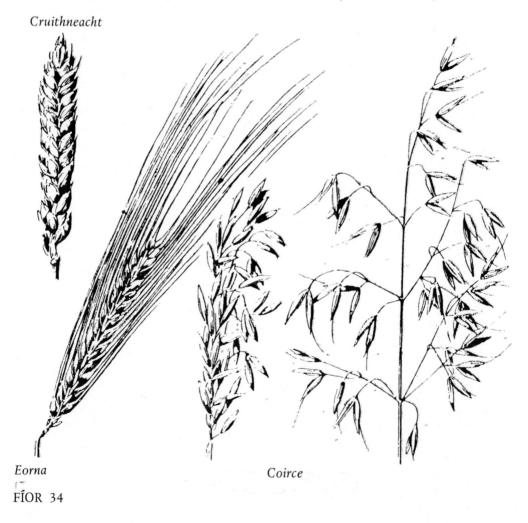

Cruithneacht

Eorna

Coirce

FÍOR 34

neacht — is iad sin na plandaí gránacha is coitianta a chuirtear in Éirinn. A lán de na daoine a chónaíonn i gcathracha agus i mbailte móra, is deacair dóibh na plandaí sin a aithint ó chéile—"toisc gur mar a chéile iad go léir". Ach is léir ó na pictiúir atá i bhFíor 34 nach mar a chéile iad in aon chor. Bíonn "féasóg" ar an eorna, bíonn craobh (nó ceann) leathan scaipthe ar an gcoirce, agus bíonn cruth fada dlúth ar cheann na cruithneachta. Ní deacair iad a aithint ó chéile dáiríre.

Bhí an-tábhacht leis an gcoirce fadó, agus bhí deich n-uaire níos mó talún faoi choirce céad bliain ó shin ná mar atá anois. Bhí i bhfad níos mó capall sa tír an uair úd, agus bhí éileamh ar an gcoirce mar bhia dóibh.

Freisin, bhíodh arán coirce á ithe go coitianta ag na daoine,

FÍOR 35: *Gridillí (ar chlé) agus seastán iarainn*

agus dhéanaidís leite nó praiseach de mhin choirce chomh maith. (Go minic dhéantaí an t-arán coirce a bhácáil trína chur ina sheasamh in aghaidh seastán iarainn os comhair na tine; bhác- áiltí freisin é ar ghrideall—pláta iarainn.)

I bhfómhar na bliana bíonn an meaisín mór darb ainm an comh- bhuainteoir le feiceáil sna goirt, agus ar na bóithre chomh maith agus é á thiomáint ó áit go háit. Nuair a ghluaiseann an comh- bhuainteoir isteach sa ghort, gearrann sé na gais cóngarach don talamh agus tarraingíonn sé isteach ina "bholg" iad. Sa bholg sin déanann sé an grán a bhaint den ghas agus a chur i málaí (nó b'fhéidir go seolfadh sé isteach i leoraí é a thiomáintear taobh leis).

Is iontach an meaisín é an comhbhuainteoir, agus an méid oibre a dhéanann sé, ach ní fada ar an saol é. Níor úsáideadh in Éirinn é go dtí lár na haoise seo.

Ní fheadar cad a déarfadh an spailpín a mhair fadó dá bhfeic- eadh sé an comhbhuainteoir agus an chaoi ina mbaintear an fómh- ar leis anois? Céad bliain ó shin, ba leis an gcorrán a bhaineadh seisean é, cé go raibh ionad an chorráin á ghlacadh ag an speal an uair sin. Bhíodh cuma ar an gcorrán faoi mar a bheadh ar chorrán gealaí, agus bhíodh

51

faobhar an-ghéar air. Tá pictiúr de chorráin le feiceáil i bhFíor 38 i dteannta na speile.

Lámh amháin a bhíodh ag an mbuanaí ar an gcorrán; leis an láimh eile bheireadh sé greim ar lán glaice den arbhar. Ghearradh sé na gais leis an gcorrán, leagadh sé ar an talamh iad, agus ar spailpíní, gach duine acu agus a chorrán ina láimh aige; tá pictiúir dá leithéidí le feiceáil i bhFíoracha 15 agus 29. Obair mhaslach a bhíodh ann gan amhras; níorbh fholáir an barr a ghearradh íseal agus mar sin chaitheadh an spailpín an lá go léir agus é cromtha faoin ngrian.

FÍOR 36: *An comhbhuainteoir*

aghaidh leis go tapa. Ba maith an fear corráin a bhainfeadh ceathrú acra cruithneachta sa lá, agus bhíodh an obair an-mhall dá réir. (Bhíodh baint na heorna agus an choirce níos moille fós.) I ngort mór d'fheicfeá buíon Taobh thiar de lucht an chorráin thagadh mná dá ngairtí mná ceangail. Ba é an cúram a bhíodh orthu siúd ná na gais leagtha a cheangal le chéile i mbearta beaga a dtugtaí punanna orthu. Chuirtí na punanna le chéile ansin ina

FÍOR 37:   *Tá ionad an chorráin glactha ag an speal anseo*

FÍOR 38:   *Punann á bualadh in aghaidh cloiche ar chathaoir*

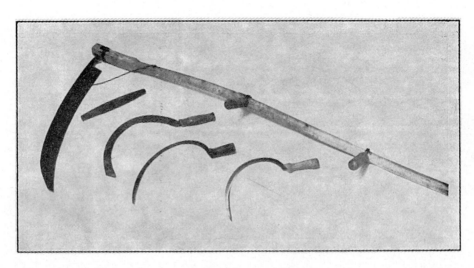

FÍOR 39: *Speal, clár speile agus trí chorrán*

stucaí nó síogóga—fiche punann b'fhéidir i ngach síogóg — agus d'fhágtaí na síogóga ar feadh trí seachtaini nó mar sin sula mbeirtí isteach san iothlainn iad chun stáca mór a dhéanamh.

Ar fheirmeacha beaga in iarthar na hÉireann, i ngoirt bheaga shléibhe agus in áiteanna cúnga, feicfidh tú na seanmhodhanna á n-úsáid fós. Ní oirfeadh an comhbhuainteoir mór d'áiteanna dá leithéidí siúd.

Is é bua mór an chomhbhuainteora go ndéanann sé an t-arbhar a bhaint agus a bhualadh (chun an grán a bhaint den cheann) ag an am céanna. Tar éis don fhómhar a bheith bainte fadó agus a bheith bailithe isteach san iothlainn, níorbh fholáir é a bhualadh ansin. B'fhéidir é sin a dhéanamh go han-simplí, trí na punanna a bhualadh in

aghaidh cloiche míne a bhíodh suite ar bhloc adhmaid, nó ar chathaoir faoi mar a léirítear anseo é.

Fadó, nuair a bhíodh coirce le bualadh, dhéantaí le súiste é. Is é

FIOR 40: *Dhá ghléas buailte: an súiste agus an chloch*

54

FÍOR 41: *An t-inneall bainte ar obair: tá na punanna á gceangal ag na mná (a) agus á stúcáil ag an bhfear (b)*

an rud a bhíodh sa súiste ná dhá bhata láidre agus iad ceangailte dá chéile le píosa leathair. Bheireadh an buailteoir greim ar an súiste agus bhuaileadh in aghaidh ceann na punainne leis an ngrán a chroitheadh as. Fíorannamh a d'fheicfeá súiste anois, ach amháin i músaem. Ach má tharlaíonn duit súiste a fháil i do láimh, cuirfidh sé ionadh ort chomh láidir trom agus atá sé; níorbh fhurasta in aon chor é a chasadh timpeall agus a bhualadh ar an talamh gan buille a bhualadh ort féin nó ar an té a bheadh ag bualadh os do chomhair.

Ní go tobann a tharla an t-athrú ón gcorrán agus ón speal go dtí an comhbhuainteoir. Ba é an chéad chéim ar aghaidh ná an t-inneall bainte, a tháinig ó Mheiriceá go dtí an Bhreatain Mhór timpeall na bliana 1850.

Thóg sé tamall sular glacadh go forleathan leis an inneall bainte (agus sula raibh leagan de ar fáil a d'oirfeadh d'fheirmeacha na Breataine agus na hÉireann), ach diaidh ar ndiaidh mhéadaigh ar an méid d'obair an spailpín a bhí á déanamh aige. B'éigean na punanna a cheangal fós, ach ansin tháinig meaisín nua eile, an t-inneall bainte agus

FÍOR 42:   *An t-inneall bainte agus ceangailte—níl aon obair anseo do na mná ceangail*

FÍOR 43: *An t-inneall buailte*

ceangailte, a dhéanadh an cean-
gal chomh maith.

Inneall nua eile ba ea an t-in-
neall buailte. Lá an-mhór i saol
na ndaoine ba ea lá an bhuailte,
nuair a thagadh an t-inneall sin
isteach san iothlainn, agus is
cuimhneach fós lena lán é mar lá
saothair agus spóirt. Choimeád-
taí na garsúin ag baile ón scoil
an lá sin chun cabhrú leis an
obair, agus d'fhanadh na girsea-
cha ag baile chomh maith chun
cabhrú le bean an tí na béilí a ull-
mhú don mheitheal.

Ba é an ghné ba shuntasaí de
na hathruithe sin go léir ná an
chaoi ina raibh ag laghdú i gcó-
naí ar an obair a bhí le déanamh
ag na hoibrithe feirme. In ionad
meitheal de bhuanaithe agus de
mhná ceangail, ní gá anois ach
fear amháin—nó b'fhéidir beirt
—agus meaisín mór amháin,
chun an fómhar a bhaint agus a
bhualadh i bhfad Éireann níos
sciobtha ná mar ab fhéidir a
dhéanamh fadó.

BAINT NA bPRÁTAÍ

Is deacair dúinne anois tuiscint cheart a bheith againn don tábhacht a bhí leis na prátaí fadó. Bíonn prátaí á gcur agus á mbaint (agus á n-ithe) againne, ach céad bliain ó shin bhí cúig oiread níos mó díobh á gcur. Ní in iarthar na tíre amháin, i ngarraithe beaga na mbochtán, a bhíodar á gcur, ach freisin ar na feirmeacha móra san oirthear agus i lár na tíre.

Uaireanta chuirtí na prátaí i ndruileanna—modh a úsáidtear go coitianta fós. D'oir an modh

sin go maith d'áiteanna ina raibh an ithir trom bog, mar gur chuidigh sé leis an draenáil, ionas nach mbeadh na prátaí faoi uisce. Ach bhí modh eile á úsáid ag an spailpín céad bliain ó shin—seanmhodh nach bhfeictear go coitianta anois. B'shin í an riastáil —is é sin, na prátaí a chur i leapacha leathana.

Níorbh é díreach an modh céanna riastála a bhíodh á chleachtadh i ngach cuid den tír, ach ba é bunús gach modha acu ná "leaba" a dhéanamh don phráta síl. D'fhéadfá déanamh na leapa sin a chur i gcomparáid le déanamh ceapaire: dhá fhód a bheadh in ionad an dá phíosa aráin, agus práta síl in ionad an phíosa feola.

Ba é an chéad rud a bhíodh le déanamh ag an spailpín san earrach fadó ná leasú a chur ar an talamh ina stráicí fada. Bualtrach bó a bhíodh sa leasú, agus sciodar muc. D'iompraíodh an spailpín chun an gharraí é i gcliabh, ar a dhroim, agus leathadh sé féin agus a chlann ar an talamh lena lámha é. Chuirtí na prátaí ina luí ar an leasú. Ina dhiaidh sin ghearrtaí fóidíní den talamh taobh leis an stráice leasaithe agus leagtaí ar na prátaí síl iad "agus an taobh dearg díobh in airde". D'fhágadh sin

58

FÍOR 45:   *Riastáil: (a) leis an láí; (b) leis an gcéachta*

go mbíodh leaba déanta don phráta síl agus freisin go mbíodh clais gearrtha ar cheachtar taobh den leaba. Bhaintí tuilleadh cré as an dá chlais ansin agus leagtaí anuas ar an leaba í, á clúdach.

Ní le sluasaid a dhéantaí an leaba ach leis an láí. Is annamh a fheictear láí i láimh feirmeora anois, ach bhíodh sí an-tábhachtach go deo fadó.

Bhíodh sé i bhfad níos éasca an riastáil a dhéanamh le céachta ná le láí, ar ndóigh. Dhéanadh an céachta simplí an fód a ghearradh agus a chasadh anuas ar an

leaba, faoi mar a léirítear i bhFíor 45b é.

D'fhásadh na prátaí leo agus ar ball bhídís ar bhealach agus an bláth geal le feiceáil orthu. Ach ní bhíodh an spailpín féin ann leis na bláthanna sin a fheiceáil, mar go mbíodh sé imithe i bhfad ó bhaile ar lorg oibre faoi sin. Na mná a d'fhágtaí ag baile, is iad a dhéanadh na prátaí a shaothrú nó a thaoscadh — is é sin le rá, cré a chur leis na gais a bhíodh ag fás. (Ar ndóigh, bhíodh na mná ábalta go maith, ní amháin chun prátaí a shaothrú, ach chun féar agus arbhar a

FÍOR 46: *Na prátaí á gcur i dtaisce sa pholl*

60

bhaint chomh maith — cé nár mhaith leo uaireanta go bhfeicfí ag gabháil den obair sin iad.)

"Ráithe an ocrais" a thugtaí uaireanta ar dheireadh an tsamhraidh, tráth a mbíodh na sean-phrátaí go léir ite agus gan na prátaí nua fós ar barra. An tráth sin ní bhíodh ag teaghlach an spailpín ach dhá bhéile sa lá, nó b'fhéidir ceann amháin. Uaireanta théadh an bhean ag iarraidh

FÍOR 47: *Leanaí ag cabhrú sa ghort fadó*

déirce, ag lorg pinginí a cheannódh dornán mine. Ní bhíodh a fear céile ann chun cabhrú léi; ag obair i ngoirt mhóra lár na tíre a bhíodh sé féin agus na spailpíní eile. D'fhágadh sin gur minic an spailpín i bhfad ó bhaile agus é ag baint prátaí d'fhear eile, fad a bhíodh a phrátaí féin á mbaint ag a bhean sa bhaile.

Cúrsaí airgeadais ba chúis leis sin. Na prátaí a bhaintí i ngarraí an spailpín féin, níorbh fholáir iad a choimeád mar bhia dá theaghlach. Chuirtí i dtaisce i bpoll sa talamh iad, tuí ós a gcionn agus cré os a chionn sin arís. Ach níorbh fhéidir iad a dhíol, nó bheadh an teaghlach gan bhia. Chun airgead an chíosa a thuilleamh, chaitheadh an spailpín dul "síos amach" agus na scillingí a charnadh.

Tháinig athruithe de réir a chéile ar mhodhanna curtha agus bainte na bprátaí, agus cé go gcuirtear prátaí ar na seanmhodhanna fós i ngarraithe beaga, tá meaisíní á n-úsáid go forleathan anois. Bhí baint na bprátaí ar cheann de na gnóthaí talmhaíochta ba dheireanaí dar meicníodh agus tharla dá bharr sin go raibh spailpíní fós ag dul ag baint prátaí, in Éirinn agus thar lear, anuas go dtí na blianta deireanacha seo.

Tá meaisíní ann inniu lenar féidir na prátaí a bhaint agus a scaradh ó ithir agus ó chlocha. Mar sin, tá ionad na spailpíní glactha ag meaisíní i gcás na bprátaí chomh maith.

IV
AN SAOL AG ATHRÚ

FÍOR 48:   *Teaghlach bocht á gcur as seilbh*

Céad bliain ó shin bhí ag laghdú ar an méid oibre a bhí le déanamh ar na feirmeacha ag an spailpín. Ba iad na meaisíní nua ba mhó ba chúis leis sin, ach chomh maith leis sin ní raibh an t-éileamh céanna ar oibrithe feirme ann toisc go raibh an churaíocht ag dul i léig, agus méadú ag teacht ar líon na mbó agus na gcaorach. Fiú amháin na feirm-eoirí úd a lean den churaíocht, ní raibh praghas maith le fáil acu ar an arbhar, toisc neart arbhair shaoir a bheith á sheoladh go Sasana ó Mheiriceá. In iarthar na hÉireann bhí na daoine fós ag maireachtáil ar na prátaí, áfach, agus iad beo bocht.

Bhí tréimhsí fada drochaim-sire ann i ndeireadh sheachtóidí na haoise seo caite, agus bhí na

FÍOR 49:   *Teach feirme á bhriseadh leis an teaghlach a ruaigeadh*

prátaí an-bheag dá bharr, agus an dubh ar chuid acu. I ngeimhreadh na bliana 1878/9 bhí an aimsir go tubaisteach ar fad, agus ar feadh roinnt blianta ina dhiaidh sin bhí ocras ar a lán. I dTír Chonaill agus i Maigh Eo, i gConamara, i ndeisceart Chiarraí agus in iarthar Chorcaí ba dhóigh leo go raibh an Gorta ag filleadh ar Éirinn. (Ní raibh an scéal chomh holc céanna san oirthear toisc nach raibh muintir an oirthir ag brath chomh mór sin ar na prátaí).

Agus gan dóthain le hithe ag a lán de na daoine bochta, ní aon ionadh é nach mbíodh airgead an chíosa acu. Nuair a theipeadh orthu an cíos a íoc, chuirtí amach as a mbotháin iad agus as a

FÍOR 50:   *Ní maith an bhail a bhiodh ar na cathracha (a, thuas) ná ar na bailte (b, thíos)*

ngarraithe beaga. D'fhágtaí líon tí iomlán ar thaobh an bhóthair agus leagtaí an teach—nó ar aon nós bhristí an díon nó chuirtí trí thine é — ionas nach mbeadh fothain ag éinne ann. Caitheadh amach na mílte duine ar an modh sin.

Cuid de na daoine a díbríodh as a mbotháin bheaga, dheineadar a mbealach de réir a chéile isteach go dtí na bailte agus na cathracha. Ní maith an bhail a bhí ar na bailte ná ar na cathracha féin an uair sin. Bhí ag teip ar thionscail na hÉireann agus ba dheacair fostaíocht a fháil sna cathracha dá réir. I mBaile Átha Cliath, mar shampla, bhí beagnach leath mhuintir na cathrach ina gcónaí i dtithe raiceáilte i lánaí cúnga salacha nó i gcúlchúirteanna bréana — agus bhí gach teach acu lán go doras de theaghlaigh bhochta. Ní raibh córas ceart uisce reatha sna tithe sin, ná séarachas, agus ní aon ionadh é go raibh cúrsaí sláinte go dona, agus daoine ag fáil bháis de ghalair. I measc na dtithe bhí stáblaí, seamlais agus cróite muc, agus salachar á scaoileadh as gach ceann acu.

Cuid eile de na daoine a caith-

FÍOR 51: *Scailp a rinneadh as fóid mhóna do theaghlach dishealbhaithe (timpeall 1880)*

eadh amach, thugadar aghaidh ar na portaigh agus ar na sléibhte. Thógadar "scailpeanna" nó tithe beaga suaracha cois claí sna ceantair sin. Uaireanta ní dhéanaidís ach poll nó log a thochailt i bportach nó i dtaobh cnoic, agus géaga crann a shíneadh os cionn an phoill, agus fóid a leagan anuas ar na géaga. Ba iad sin gan amhras na "tithe" ba shuaraí dá raibh in Éirinn.

Áit ar bith ina raibh píosa beag talún sna ceantair iargúlta sin, dhein na daoine bochta iarracht ar é a shaothrú. Bhriseadar na carraigeacha le gróite agus

FÍOR 52: *Mícheál Mac Dáibhéid (Davitt)*

mheascadar aoileach nó feamainn agus gaineamh leis an gcré. Ach bhí an talamh róbhocht, agus bhí an aeráid ina n-aghaidh chomh maith — í fuar fliuch sa gheimhreadh, agus an ghaoth róláidir i gcónaí.

D'ainneoin a ndíchill, theip orthu de réir a chéile. D'fhás an raithneach agus na giolcaigh arís ar an talamh a bhí glanta acu. Níor fágadh ina ndiaidh ach fothraigh na mbothán tréigthe, agus na hiomairí nó na leapacha a bhfuil a rian fós le feiceáil anseo is ansiúd.

(Lenár linn féin tá iarrachtaí ar siúl arís chun leas a bhaint as an talamh sin, agus tá na feirmeoirí ag baint feidhme as modhanna nua-aoiseacha chun é a thabhairt chun torthúlachta le meaisíní agus leasachán saorga.)

B'fhéidir gur deacair a thuiscint cén fáth nár chuir na daoine in aghaidh na dtiarnaí talún a chuir amach as a ngabháltais bheaga iad. Ach le fada an lá bhí glactha acu leis go raibh an cíos dlite don tiarna talún agus go gcaithfí é a íoc. Ar aon nós, bhí go leor giollaí crua ag na tiarnaí talún leis na daoine a choimeád faoi chois. Taobh thiar de na giollaí sin bhí cumhacht na bpóilíní; taobh thiar díobh siúd arís bhí cumhacht arm na Breataine. An té a sheasfadh in aghaidh an tiarna talún, mar sin, bheadh sé ag seasamh in aghaidh arm na Breataine.

Mar sin féin, chruinnigh na daoine a neart, chuireadar le chéile agus d'eagraíodar iad féin i gConradh na Talún. In 1879 a chuir fear darbh ainm Michael Davitt an Conradh sin ar bun. Mac ba ea é le feirmeoir beag a cuireadh as a sheilbh i gContae Mhaigh Eo. B'éigean don chlann dul go Sasana, agus nuair a tháinig breoiteacht ar an athair b'éigean don mháthair dul le hobair feirme, agus le sníomh-adóireacht istoíche, leis an teaghlach a chothú. Nuair nach raibh ach deich mbliana d'aois ag Michael Davitt féin, chaill sé lámh leis agus é ag obair i muileann i Lancashire.

D'éirigh le Conradh na Talún cumhacht na dtiarnaí talún a bhriseadh, ach fós bhí an saol go léanmhar ag go leor de mhuintir an iarthair, agus go háirithe ag na spailpíní, arbh iad ba bhoichte ar fad.

Bhí a lán de bhuachaillí agus de spailpíní óga na tíre ar theastaigh uathu éalú ón ocras agus ón gcruatan. Mheas cuid acu go bhféadfaidís éalú ach liostáil san arm — arm na Breataine. An buachaill a rachadh san arm, bheadh cóta ar a dhroim aige agus bróga ar a chosa, agus ní bhfaigheadh sé bás den ocras.

FÍOR 53: *Saighdiúirí Shasana ag Teach an Gharda i Ros Cré, 1853*

"Bí in Arm an Lae Inniu" a deir na fógraí ar na nuachtáin agus ar an teilifís. Céad bliain ó shin in Éirinn bhíodh fógraíocht ar siúl chomh maith, ach níorbh é arm na hÉireann a bhíodh i gceist ach arm na Breataine. Bhí saighdiúirí ag teastáil ón mBanríon Victoria, agus bhí fáil orthu in Éirinn.

Bhí impireacht fhairsing ag an mBreatain an uair sin, ní in Éirinn amháin ach san Afraic agus san Ind agus i Meiriceá. Chaithfeadh saighdiúirí dearga a bheith sna tíortha sin i gcónaí, chun smacht a choimeád ar na ciníocha gorma agus buí. Bhíodh na hÉireannaigh óga go líonmhar in arm na Breataine, go háirithe sna reisimintí cáiliúla "Éireannacha" — leithéidí na Connaught Rangers agus na Inniskilling Dragoons.

Sa bhliain 1879 bhí na Connaught Rangers ag troid san Afraic i gCogadh na Súlúnna. Fir ghorma ba ea na Súlúnna, laochra cróga a throid go dian faoina gcuid gcleití arda galánta. Ach dá chrógacht iad, níorbh fhéidir leo seasamh in aghaidh ghunnaí na saighdiúirí, agus briseadh ar an treibh—an treibh ba chalma dá raibh san Afraic.

Ar chótaí dearga na gConnaught Rangers bhí fásálacha

uaine ar na liopaí, á léiriú don saol gur reisimint "Éireannach" a bhí iontu. Caitlicigh ba ea iad go léir, beagnach, agus ba í an Ghaeilge teanga dhúchais cuid mhaith acu.

I dtús an 19ú haois bhí traidisiún beo fós i gceantair áirithe go dtéadh na hógfhir thar lear go dtí arm na Fraince, chun troid ar son na Fraince in aghaidh na Breataine. Bhíodh uaisle Gael ina n-oifigigh san arm sin, agus thagaidís abhaile ag déanamh earcaíochta faoi rún. Ach faoi dheireadh na haoise bhí traidisiún eile fásta suas ina ionad sin —is é sin, go dtéadh na buachaillí in arm na Breataine.

Cuid mhaith acu, bhídís an-óg agus iad ag liostáil—gan ach ceithre bliana déag acu, b'fhéidir, agus iad ag dul isteach ina ndrumadóirí agus ina bhfífeadóirí. (In áiteanna áirithe cois cósta, ní in arm na Breataine a liostáladh na fir óga ach i gcabhlach na Breataine.) Chuirtí thar lear iad in éide na Banríona, agus is ansin a d'fhaighidís bás go minic, ní de bharr cogaíochta ach de ghalar agus d'fhiabhras. Cé nár fhilleadar siúd ar Éirinn riamh, tháinig scata beag abhaile ar pinsean, agus scéalta cogaidh acu le hinsint don ghlúin óg. D'fhás traidisiún nua dá réir, agus ba mhinic a chuaigh fear óg san arm faoi mar a dhein a ath-

FÍOR 54: *Saighdiúirí i gCaisleán an Bharraigh*

air roimhe, cé gurbh fhuath leo beirt an druil agus an diansmacht a bhí ag gabháil le saol saighdiúra.

71

FÍOR 55: *Sa Rinn Mhór i nGaillimh (Dún Uí Mhaoilíosa anois)*

Níor dheacair dul san arm. D'fhéadfadh buachaill siúl isteach in aon bheairic mhíleata agus na páipéir liostála a shaighneáil. Bhí na beairicí scaipthe ar fud na tíre sna "bailte garastúin". Tá cuid acu in úsáid fós, ach tá cuid eile acu atá anois ina bhfothraigh agus athrú mór tagtha orthu ón am a mbíodh na saighdiúirí dearga á ndruileáil ar fhaiche na beairice. B'fhéidir go bhfuil na fothraigh féin imithe anois agus nach bhfuil fágtha ach na hainmneacha a bhaist na saighdiúirí ar shráideanna an bhaile—Barrack Hill, Artillery Quay, Waterloo Lane agus a leithéidí.

Ó am go chéile dhéanadh lucht an airm iarracht ar leith leis na fir óga a mhealladh isteach. Chuirtí díormaí beaga saighdiúirí ag máirseáil tríd an tír le ceol na fífe agus an druma, á léiriú do bhuachaillí na tíre cad é mar shaol breá a bheadh acu san arm. Uaireanta eile théadh fear aonair—an sáirsint liostála—ag bualadh leis na daoine a bheadh cruinnithe isteach ón tuath. Bhíodh an sáirsint oilte go maith ar conas an chluain a chur ar bhuachaillí na tuaithe. Cheannaíodh sé deoch — agus b'fhéidir an dara deoch chomh maith—do bhuachaill, mhíníodh sé ansin dó go mbeadh deis aige san arm an

72

domhan mór a shiúl agus radh-
arc a fháil ar thíortha na gréine
thar lear. Saol tarraingteach a
bheadh ann do spailpín bocht
nach bhfaca riamh ach bailte

liatha na hÉireann agus bóith-
ríní ciúine na tuaithe.

Dá nglacfadh an buachaill scil-
ling ón sáirsint liostála bheadh
thíos leis, mar chiallaigh sé sin

FÍOR 56:   Athrú an Gharda. Cén áit i mBaile Átha Cliath ar tógadh an grianghraf?

73

go raibh sé tar éis glacadh le pá Rialtas Shasana, agus gur bhall d'arm Shasana é dá réir. Is iomaí fear óg a mealladh mar sin agus a thug fuath ina dhiaidh sin do "scilling na Banríona". Ba mhór a bhí idir an saol scléipeach corraitheach ar chuir an sáirsint síos air dóibh agus an saol dian a bhíodh acu dáiríre san arm. Bhíodh na saighdiúirí singile faoi smacht i gcónaí, bhíodh an bia gann, agus chaithfeadh duine cur suas leis an anró, nó dó féin ba mheasa é. Níorbh fhada go dtuigeadh na saighdiúirí gur bheag an t-athrú chun feabhais a bhí déanta acu.

AN IMIRCE

Meas tú cad atá ar siúl ag na daoine sa léaráid seo thíos (Fíor 57)? Sagart an té atá ina sheasamh ar dheis agus a lámh in airde aige. Tá sé ag guí beannacht Dé ar na daoine bochta i mbaile beag in Éirinn, breis agus céad bliain ó shin. Má bhreathnaíonn tú go géar ar na daoine eile, tabharfaidh tú faoi deara gur ag imeacht ó bhaile atá siad. Tá a gcuid boscaí agus truncaí á n-iompar i gcairt, agus rachaidh na daoine féin sa siúl i ndiaidh an bhagáiste. Tá siad ag fágáil slán leis an bhfód dúchais agus lena gcairde, agus is baolach nach bhfeicfidh siad riamh go deo arís iad. Tá siad ag iarraidh éalú ón mbochtaineacht agus ón ocras, ó bhaol an díshealbhaithe agus ó mheath na spailpínteachta, agus iad ag tabhairt aghaidhe ar thuras trí mhíle míle (3000 míle) thar an Aigéan Atlantach go Meiriceá siar.

An duine ar mian leis taisteal go Meiriceá anois, níl le déanamh aige ach dul ar bord eitleáin ag Aerfort na Sionainne nó ag Aer-

FÍOR 57:   *Beannacht ar na himircigh*

fort Bhaile Átha Cliath agus is féidir leis bheith i Meiriceá an lá céanna. Is deacair dúinne a thuiscint cad é mar chruatan a bhí le fulaingt ag na daoine a chuaigh go Meiriceá fadó. Breathnaigh ar Fhíor 58 anseo thíos; tá an chéad

Bhí an Cóbh ar cheann de na calafoirt ba thábhachtaí don lucht imirce, agus thagadh daoine ann ó gach cearn d'Éirinn chun dul ar bord loinge. I dtuaisceart na tíre bhí an cháil chéanna le fada ar Dhoire. Ach thart ar

FÍOR 58: *Ar an gcé*

chéim den turas curtha díobh ag na daoine seo, agus tá siad ar an gcé i gCóbh Chorcaí agus iad ag feitheamh go foighneach ar long.

1880 bhíodh árthaí ag dul isteach in go leor de na calafoirt bheaga thart ar chósta an iarthair chun lucht imirce a iompar leo.

Nuair a théadh daoine ar an

FÍOR 59:   *"Slán!"*

turas fada farraige, b'éigean dóibh a gcuid bia féin a bhreith leo toisc nár leor an méid a bhíodh le fáil ar an long féin. Bhíodh mála prátaí acu, nó bonnóga d'arán coirce (a bhíodh cosúil le brioscaí móra tirime), agus iasc goirt.

Mar sin féin, bhí an t-ádh leo sa mhéid is gur ar bord gal-long a théidís de ghnáth céad bliain ó shin — longa a dhéanfadh an turas i dtrí nó i gceithre seachtainí, dá dhonacht í an aimsir. Na daoine a chuaigh go Meiriceá i longa seoil, aimsir an Ghorta Mhóir, bhídís i bhfad níos faide ar an bhfarraige nuair a tharlaíodh an ghaoth ina n-aghaidh. Cuid de na sean-longa seoil úd, bhíodar lofa gan mhaith, agus briseadh i stoirmeacha iad. Bhíodh na daoine bochta brúite isteach in íochtar na long, agus ba mhinic iad ag fáil bháis ansin de ghalair a leathadh ina measc agus gan fiú dóthain uisce le hól acu. Ní raibh an scéal chomh holc céanna ag na daoine a chuaigh timpeall 1880.

"Bliain a' Free"

Ní raibh costas ró-ard ar an turas farraige, ach bhí na daoine chomh bocht sin gur dheacair dóibh praghas an ticéid a chur le chéile. Bhí scéal ag gabháil le gach aon ticéad agus leis an stró a bhí ar dhaoine na pinginí a chur le chéile lena aghaidh. Ba rídheacair ticéid a cheannach do líon tí iomlán, agus mar sin ní i dteannta a chéile a théadh teaghlach an duine bhoicht de ghnáth, ach duine i ndiaidh duine. Ba é an chéad ticéad an ceann ba dheacra a fháil. Nuair a shroicheadh an chéad duine clainne Meiriceá, dhéanadh seisean iarracht praghas an ticéid a sholáthar don dara duine.

Uaireanta tharla gur cheannaigh an tiarna talún ticéid dá thionóntaithe. Chreid sé, b'fhéidir, gurbh é leas na ndaoine imeacht go Meiriceá; chomh maith leis sin ba é a leas féin é, mar go bhféadfadh seisean seilbh a ghlacadh ar a bpaiste talún gan stró ansin agus ba a chur ag iníor ann.

Bhí cúrsaí chomh holc sin sa tréimhse 1879-1883 gur bheartaigh an Rialtas cabhair ar leith a thabhairt do bhochtáin iarthar na hÉireann chun dul go Meiriceá. Bhí an aimsir go dona ar fad i bhfómhar na bliana 1882 agus bhí an scéal go tubaisteach ag muintir Chonnacht. Chailleadar leath na bprátaí agus an chuid is mó den choirce, agus theip orthu a gcuid móna a shábháil. Shocraigh an Rialtas, mar sin, cabhair airgid a thabhairt d'aon teaghlach a bheadh sásta dul thar tír amach go Ceanada nó

Meiriceá. Tairgeadh £5 do gach duine fásta, a leath sin do dhéagóirí, agus £1 do gach páiste. Cé nár mhór é sin, ba leor é chun ticéid na ndaoine sin a cheannach. Ach chaithfeadh an teaghlach go léir imeacht i dteannta a chéile — an t-athair agus an mháthair, na leanaí fásta agus na leanaí óga—nó ní bheadh aon airgead le fáil acu. "Aimsir an freemigration" nó "Bliain a' Free" a thug na daoine ar an mbliain sin; breis agus 100 000 duine a d'fhág Éire in 1883, agus go Meiriceá a chuaigh a mórfhormhór.

Mhair cuimhne na bliana sin faoi mar a mhair cuimhne an Ghorta Mhóir. Ó "Bhliain a' Free" amach bhí sruth láidir imirce ar siúl i gcónaí, agus b'fhada gur cuireadh srian leis.

Scéal eile scéal na nÉireannach a d'imigh leo go Meiriceá. Chuir cuid mhaith acu fúthu sna cathracha agus sna bailte móra, mar a raibh obair le fáil ag na fir ar

FÍOR 60: *An baile tréigthe*

an bhfoirgneoireacht agus ar thógáil tithe, agus ag na mná ina searbhóntaí agus ina gcailíní aimsire i dtithe móra. Bhíodar i gcomhluadar a muintire féin ansin, agus bhí teacht acu ar eaglaisí agus ar scoileanna. D'éirigh go breá le cuid acu sna cathracha, agus bhain a gclann cáil amach dóibh féin.

Bhí cuid eile acu nár fhan sna cathracha ach a chuaigh amach tríd an tír. D'oibríodar sna mianaigh agus freisin ar thógáil na n-iarnród mór agus dheineadar a mbealach siar de réir a chéile. San iarthar chuireadar fúthu ina rainseoirí agus ina mbuachaillí bó; cibé áit ar ghabhadar, d'fhágadar a rian ar shaol agus ar cheol Mheiriceá.

FÍOR 61:   *B'fhada gur cuireadh srian leis an imirce: timpeall 1950 a tógadh an grianghraf seo*

80

AGUISÍN:

CEOL AGUS AMHRÁIN NA SPAILPÍNÍ

Ní mórán rianta de shaol na spailpíní atá fágtha anois. I músaeim thuaithe agus i músaeim thalmhaíochta is féidir radharc a fháil ar na speala agus na corráin lenar thuilleadar a mbeatha fadó. I dtaifid sheanda na gcomhlachtaí iarnróid agus sna staitisticí talmhaíochta tá cuntais ar roinnt dá gcuid gluaiseachtaí. I sean-ghrianghraif agus seanléaráidí (tá cuid acu sa leabhar seo) is féidir léargas a fháil orthu féin agus ar a modh beatha. Ach maireann na spailpíní fós sa cheol agus sna hamhráin a chasadar fadó.

Cé a shamhlódh ceol le hoibrithe bochta feirme a bhí chomh mór sin faoi dhímheas lena linn féin? Go deimhin, déarfadh duine nach raibh aon chúis cheoil acu. Ach cé gur bhochtáin iad nach raibh mórán cleachtaidh acu ar ghnéithe áirithe den saol mór, fós bhí cuid de sheanchultúr Gaelach a sinsir acu, agus meas acu air. D'fhág an cultúr sin blas ar a saothar ceoil agus amhránaíochta.

Más duine tusa a chuireann suim sa cheol tíre, beidh a fhios agat cé chomh huilíoch forleathan agus atá sé. Níl aon sampla is fearr den tréith sin aige ná "An Spailpín Fánach" atá luaite i dtús an leabhair seo. Seans gur fhoghlaim tú féin an t-amhrán sin ar scoil. De ghnáth is go meidhreach tapa a chantar é, ach is amhrán brónach é ó cheart. Is go mall brónach a chantaí fadó é, agus is go mall a sheinntear fós é i gContae an Chláir.

Ach ní rud aonair é "An Spailpín Fánach"; tá go leor amhrán a bhfuil an teideal céanna orthu. Go dtí le déanaí bhíodh leagan seanda de le cloisteáil in Iarthar Chorcaí, agus chum spailpín eile a leagan féin de agus é ag obair sna mianaigh i mButte, Montana. Castar leagan eile fós de i gConnachta (Topic Records, 12T177). Amhrán breá meidhreach atá sa leagan sin; cur síos atá ann go háirithe ar shaol saighdiúra, agus tá sé gaolmhar go maith leis an leagan de "The Girl I Left Behind Me" a chanadh saighdiúirí—agus a chanann cuid acu fós. (Deirtear, dála an scéil, gur máistir ceoil in arm na Breataine a chóirigh an ceol, agus a chuir an t-amhrán Gaeilge in oiriúint do mháirseáil mhear na mbannaí míleata faoin teideal Béarla.)

Ach tá i bhfad níos mó de cheol na spailpíní againn ná "An Spailpín Fánach". Uaireanta cloisfidh tú cuid de na hamhráin eile á gcasadh ar chláir cheoil tíre. Ar na cinn is coitianta tá "An Ciarraíoch Mallaithe" agus "A Spailpín, a Rún". Bhí idir Ghaeilge agus Bhéarla ag a lán de na spailpíní, agus mar sin d'fhágadar amhráin Bhéarla againn freisin, ar nós "The Rocks of Bawn" agus "The Galbally Farmer".

Má chuireann tú suim sa scéal, agus más mian leat dul ag cuardach sna leabhair, b'fhiú duit

FÍOR 62: *"Ní mórán rianta de shaol na spailpíní atá fágtha"*

"The Kerryman's Rambles to the County of Tipperary" agus "The Irish Harvestmens' Triumph" a léamh sa leabhar úd **Old Irish Street Ballads,** Vol. I (Mercier Paperback), agus is é an ceann is fearr ar fad, b'fhéidir, ná **"Corrán an Eirligh",** ar foilsíodh leagan de ("An Corrán") in **Duanaire Déiseach** (Sáirséal agus Dill).

B'fhéidir gur leor sin mar threoir d'amhráin na spailpíní; má théann tú á gcuardach, seans gurb iad na cinn is mó a thaitneoidh leat ná na véarsaí beaga aonair a chum na hoibrithe tuirseacha fadó, ar nós an chinn seo a chum fear Shliabh gCua i dTiobraid Árann:

Ní raghadsa go Tiobraid
  Árann
Ag tuilleamh mo phá arís,
Mar thabharfadh an t-ocras
  an bás dom
Is chaithfinn mo rámhainn
  a dhíol.

GLUAIS

Aicíd, disease
Aiste bia, diet
Aiteann, furze
Aoileach, manure
Arbhar, corn
Athchaite, secondhand

Bacla, armful
Ball acra, farm implement
Barr, crop
Beairic, barracks
Bean cheangail, binding woman
Biatas, beet
Bláthach, buttermilk
Bláthfhleasc, wreath
Bonnóga (coirce), oatcakes
Bothán, cabin
Botaí, bothy
Brioscáin, crisps
Buailteoir, thresher
Bualtrach, cow-dung
Bungaló, bungalow
Burla, bale

Caidéal, pump
Cainneann, leek
Cairt, cart
Cál, kale
Calafort, port
Calóga arbhair, cornflakes
Caor fíniúna, grape
Cartún, cartoon
Casóg, coat
Céachta, plough
(Ar) Céalacan, fasting
Ceapaire, sandwich
Cine, race

Cíos, rent
Círéib, riot
Clais, furrow
Clár speile, scytheboard
Coirce, oats
Comhbhuainteoir, combine
    harvester
Cóngar, short cut
Corraitheach, stirring (exciting)
Corrán, reaping hook, sickle
Cosmhuintir, poor people
Cró (muice), pigsty
Cruithneacht, wheat
Cuigeann, churn
Curaíocht, tillage

Daitheacha, rheumatism
Deisbhéalach, well-spoken
Diallait, saddle
Díosal, diesel
Díshealbhú, eviction
Draenáil, drainage
Druil, drill
Dugaire, docker

Eachtra, adventure
Earcaíocht, recruiting
Éileamh, demand
Eorna, barley

Fásáil, facing
Feamainn, seaweed
Foirgneamh, building
Foirgneoireacht, building
Fothrach, ruin

Gal-long, steamship

85

Garastún, garrison
Gas, stem
Gearrcach, nestling
Giolcach, reed
Gránach, cereal
Grianghraf, photograph
Grideall, griddle
Gró, crowbar
Gualadóir, coal-heaver

Haighreáil, hiring

Iargúlda, remote
Imirce, emigration
Impireacht, empire
Iníor, grazing
Inneall bainte, mowing machine
Inneall bainte agus ceangailte
      reaper and binder
Inneall buailte, threshing
      machine
Íochtar (loinge) hold
Iomaire, ridge
Iothlainn, haggard

Lái, spade
Leacht, liquid
Leannlus, hop
Leasachán, fertiliser
Leasú, fertilising
Líon, flax
Liopa, lapel
Liostáil, enlist
Lochta, loft

Marglann, mart
Marthain, keep (maintenance)
Meaisín, machine
Meath, decay

Meicniú, mechanization
Meitheal, working party
Móinéar, meadow

Naimhdeas, enmity

Peitreal, petrol
Péitseog, peach
Plaisteach, plastic
Póilín, policeman
Punann, sheaf
Rainseoir, rancher
Raithneach, fern
Rámhainn, spade
Reisimint, regimint
Riastáil, lazybed tillage
Rómhar, digging

Sadhlas, silage
Saoiste, foreman, ganger
Scailp, shelter, sod hut
Sceallóga, chips
Scioból, barn
Scológ, ganger
Seamlas, slaughterhouse
Séarachas, sewerage
Síob, "lift"
Síogóg, stook
Sír, shire
Slinn, slate
Sníomh, spinning
Speal, scythe
Spealadóir, scythesman
Spréáil, spraying
Spuaic, steeple
Sraith, swathe
Stuca, stook
Súgán, straw-rope
Súiste, flail

Talamh scóir, conacre
Taoscadh, earthing up
Tarracóir, tractor
Tiarna talún, landlord
Tíl, tile
Tionónta, tenant
Traonach, corncrake
Tréad, herd

Uachtarlann, creamery
Ulchabhán, owl
Umar (capall), (horse-) trough
Urraithe, sponsored

Vaigín, waggon